KB096551

4학년
마음 카메라

4학년 마음 카메라

발행	2023년 12월 22일
저자	김성현, 김승현, 김유민, 김유현, 김하음, 류민재, 류효림, 박구비 박도윤, 박리우, 박안젤리나, 백주환, 양지훈, 오채연, 이루안, 이승민 정규영, 정예원, 정은혜, 정희찬, 최은우, 홍수정
엮은이	임정화
펴낸이	한건희
펴낸곳	주식회사 부크크
출판사등록	2014.07.15.(제2014-16호)
주소	서울 금천구 가산디지털1로 119 SK트윈테크타워 A동 305
전화	1670 - 8316
E-mail	info@bookk.co.kr
ISBN	979-11-410-6192-0

www.bookk.co.kr

4학년
마음 카메라

김성현, 김승현, 김유민, 김유현, 김하음, 류민재,
류효림, 박구비, 박도윤, 박리우, 박안젤리나,
백주환, 양지훈, 오채연, 이루안, 이승민, 정규영,
정예원, 정은혜. 정희찬, 최은우, 홍수정 지음

차례

프롤로그		/ 10
김성현	내 가족	/ 13
	바다	/ 14
	무한의 계단	/ 15
	유통기한	/ 16
	선풍기	/ 07
김승현	꿈이 많아요	/ 19
	도깨비 방망이	/ 20
	탕후루	/ 21
	핑크뮬리	/ 22
	우주선	/ 23
김유민	괜찮아요	/ 25
	궁금해	/ 26
	나 홀로 나무	/ 27
	타워	/ 28
	코스모스	/ 29
김유현	나는	/ 31
	바늘 가는 데 실 간다	/ 32
	돼지 저금통	/ 33
	마법의 음식	/ 34

책 / 35

김하음 자라나는 나 / 37
군고구마 / 38
에어컨 / 39
넌 항상 / 40
아이스크림 / 41
눈 마주침 / 42
동굴 속 괴물 / 43

류민재 나의 꿈 / 45
뭘까? / 46
거북이 / 47
튤립 / 48
초록 나무 / 49

류효림 잘 웃는 사람 / 51
내 자리 / 52
강낭콩 / 53
호수 / 54
버드나무 / 55

박구비 작은 행복 / 57
변덕꾸러기 나무 / 58
바보상자 / 59

냄비 / 60
될 듯 말 듯 / 61

박도윤 나의 웃음 / 63
지우개 / 64
쓸모없는 에어컨 / 65
가방 / 66
돼지 같은 지갑 / 67

박리우 거울처럼 / 69
요리 수업 / 70
사진 / 71
고양이 보리 / 72
사슴벌레 / 73

박안젤리나 나의 호기심 / 75
꽃의 머리 스타일 / 76
구름들 / 77
잠자리 / 78
횡단보도 / 79
열매 / 80
주황색 물고기 / 81

백주환 나의 꿈, 야구 / 83
나노 블럭 세상 / 84
국립중앙박물관 / 85

노력 / 86
QR코드 / 87
변신 / 88
또 다른 별 / 89

양지훈
꿈을 기르는 사람 / 91
구름 비행기 / 92
침범하지 마 / 93
치즈 / 94
대기 중 / 95
반딧불이 / 96
화 / 97

오채연
그림 / 99
소원 팔찌 / 100
고양이의 팔 / 101
뻑뻑이 / 102
오케스트라 / 103

이루안
많이 많이 / 105
학 / 106
호떡 / 107
알 수 없는 화가 / 108
나만 행복 / 109

이승민
슈크림 / 111

	거대한 독수리	/ 112
	밤하늘	/ 113
	소나무	/ 114
	고양이	/ 115
정규영	촛불	/ 117
	아름다운 탑	/ 118
	어떡하지	/ 119
	양파	/ 120
	꿀밤 알밤	/ 121
	대단한 분	/ 122
	믿는다	/ 123
정예원	좋아하는 게 너무 많아요	/ 125
	피아노 건반	/ 126
	퍼즐	/ 127
	빨간 마법사	/ 128
	낙엽	/ 129
	학교 가는 길	/ 130
	시장	/ 131
정은혜	나는 '정은혜'예요	/ 133
	방울토마토	/ 134
	이사 온 물고기	/ 135
	도시락	/ 136
	빵	/ 137

정희찬 나 / 139
휴일 / 140
생존왕 / 141
UFO / 142
내 친구 / 143

최은우 호기심이 많은 나 / 145
코코넛 잼 / 146
도마뱀이 좋아하는 색 / 147
유성매직 / 148
조금 다른 녀석 / 149

홍수정 미술이 좋아 / 151
천장 / 152
부끄럼쟁이 / 153
하늘의 꽃 / 154
색칠 / 155

에필로그 / 156

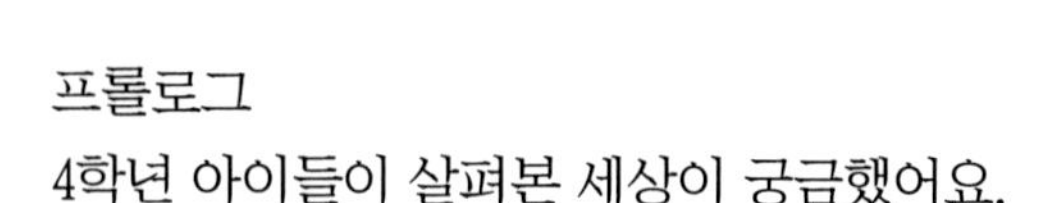

프롤로그
4학년 아이들이 살펴본 세상이 궁금했어요.

요즘 아이들은 세상을 자기 눈에 스스로 담기도 하지만 디지털 정보가 넘쳐나는 공간에서 세상을 익히기가 일쑤입니다.

우리 반 아이 중에서도 처음에는 인터넷에서 멋진 사진을 찾아와서 시를 쓰려고 했습니다만, 이내 자기 생각이 담긴 사진의 가치를 알아차리고 예사로 보아 넘기던 주변 사물에 관심을 가지게 되었습니다. 늘 이고 사는 하늘이지만 날마다 조금씩 다른 하늘빛, 구름, 밤낮의 변화에 아름다움을 느낄 줄 알게 되었습니다. 주변에서 흔히 보는 학용품, 가전제품에도 순수한 시인의 마음으로 생명력을 갖게 해주었습니다.

각자 지은 시는 언제나 함께 볼 수 있는 온라인 공간에 게시하여 친구의 작품을 통해서도 디카시를 배우고 서로의 생각을 나눌 수 있었습니다.

디카시를 창작하는 동안 아이들은 세상을 담는 사진작가도, 사색하는 철학자도, 진솔한 느낌을 전하는 시인이 되기도 하였습니다. 그런 과정을 생생하게 지켜보는 저도 행복하고 감사한 시간이었습니다.

4학년의 시선에 담긴 순수하고도 기발한 동심을 엿보는 기회를 함께 하시길 바랍니다.

2023년 12월 겨울비 내리는 날 임정화

4학년 마음나눔반 친구들의 관심사는?

-카메라로 엿본 아이들 마음-

김 성 현

디카시를 읽고 성현이의 재미있는 생각들을 알 수 있었어. 특히 "내 가족"은 너무 감동이었어.♡

\- 엄마가

내 가족

실수나 잘못을 해도

시험점수를 낮게 받아도

조금 혼내기는 해도

미워하지는 않는 내 가족

나는 내 가족이 좋아요.

얘기를 같이 할 때도

함께 공부를 할 때도

모든 순간 가족이 좋아요.

우리 가족에게 사랑이란

끈끈한 접착제로 이루어진

멋진 작품이에요.

바다

이 세상
모든 물고기를 먹여 살리는
위대한 어머니.

무한의 계단

보기만 해도 한숨이 나온다.

유통기한

다가오는 초코우유의 제삿날

선풍기

회전시켜 놓으면

이리저리 고개를 저으면서

에어컨 틀지 말라고 한다.

김 승 현

하늘처럼 맑고 넓은 승현이의
마음을 많은 사람들과 나누
길 바라~~
- 엄마가

꿈이 많아요

난 꿈이 많아요.

경찰도 화가도 내 꿈이에요.

난 빨리 클 거예요.

빨리 커서 꿈을 이룰 거예요.

다른 꿈도 생길지 모르지만

난 꿈이 있어서 아주 행복해요.

도깨비방망이

도깨비가 방망이를 두고 갔네.

탕후루

반짝반짝 탕후루

외그작외그작 탕후루

달콤 달콤 탕후루

핑크뮬리

너희들 언제 머리 염색했니?

핑크색, 아주 예쁘게 잘 되었네.

우주선

첨성대 위쪽에서

빛을 내며 내려오는

우. 주. 선.

김 유 민

언제나 사랑스러운 유민아,
항상 너를 믿고 응원할게~

-엄마가

괜찮아요

가족은 "괜찮다, 괜찮다."

입원한 날만 합쳐도 석 달, 넉 달.

두드러기가 있어도

감기가 들어도

괜찮아요.

가족이 위로해 주고

친구들이 걱정해 주니까요.

나는 즐거운 사람이에요.

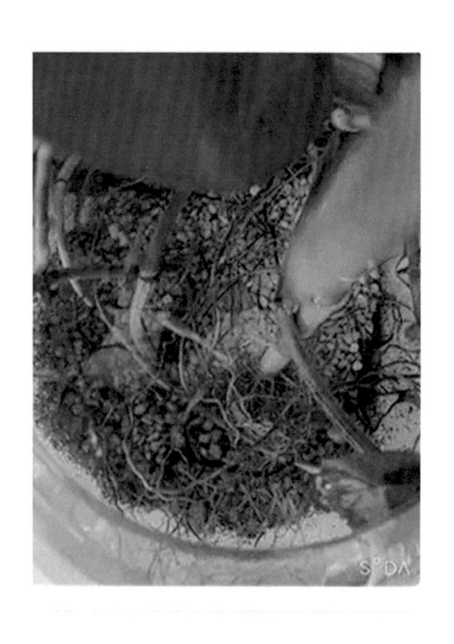

궁금해

어항에 갇혀 사는 물고기

어항에 갇혀 사는 느낌은 어떨까?

나 홀로 나무

홀로 서 있는 나무

내가 친구가 되어줄게.

타워

어디까지 이어질까?

고개를 들어 올려다봐도 끝이 없어.

꼭 쑥쑥 잘 자라는 나무 같아.

코스모스

여러 색깔이 있는 코스모스

꼭 무지개 꽃 같아!

김 유 현

김유현 시인의 시집 발간을 진심으로 축하합니다. 우리는 '마법의 음식', '바늘 가는 데 실 간다' 등의 시를 본 순간 함박웃음을 지을 수밖에 없었습니다. - 아버지가

나는

나는 강아지를 좋아해요.

나는 전쟁에 관련된 것에 관심이 많아요.

나는 장난기가 많아요.

나는 창의적이에요.

나는 책을 많이 읽어요.

나는 운이 좋은 사람이에요.

바늘 가는 데 실 간다.

이럴 때 쓰는 속담이구나.

돼지 저금통

배고프니?

내가 동전 받아 밥 줄게.

마법의 음식

언제나 먹어도

맛있는 너.

책

작가의 큰 노력으로 만들어진 책.

작가의 정성이 듬뿍 담겨있는 책들.

김 하 음

세상을 아름답고 소중하게
바라보는 네가 참 좋아~♡
존재 자체만으로도 감사한
너를 항상 응원한다~♡ 하
음아, 사랑해. 화이팅!
- 엄마가

자라나는 나

친구와 우정이 자라나고
도움받으면 감사한 마음이 자라나요.
짜증 나는 마음이 생기기도 하지요.
이런 마음을 알 때
어느새 나는 아주 자라나 있어요.

나에게는 소중한 친구도 있어요.
모두 개성이 있지요.
나에게 소중한 것은 무지 많아요.
소중한 꿈들로 나는 자라나요.

난 친절을 중요시해요.
친절을 베풀면
누구든지 기분이 좋아지고 친절하게 돼요.
친절한 것은 중요해요.

군고구마

네가 불타

날 기쁘게 하는구나.

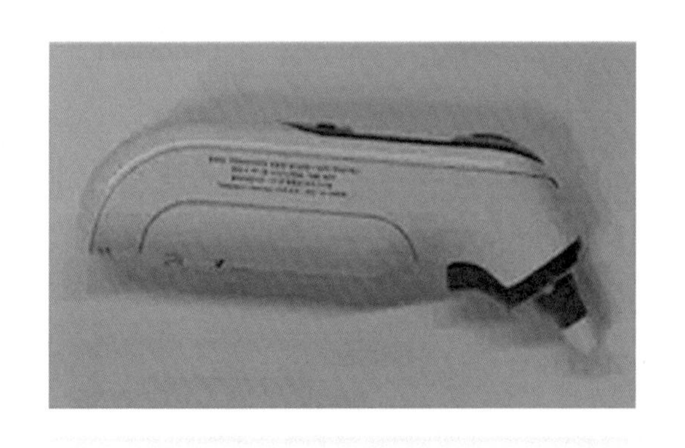

넌 항상

넌 항상 찾을 때 없니?

아이스크림

언제 녹을지 모르는

시한폭탄.

눈 마주침

뭘 해도

귀여운 너.

에어컨

잘 가, 내년에 또 보자.

동굴 속 괴물

앗, 깜짝이야.

괴물이 쳐다보네!

류 민 재

민재야 너의 글귀, 사진 알록
달록 따뜻한 '봄' 같아. 잘했
네~~
- 엄마가

나의 꿈

나의 꿈은 야구선수야.

야구선수가 왜 하고싶냐 하면

야구공을 멀리 칠 때

기분이 좋기 때문이야.

나는 야구가 좋아.

야구에서 수비하는 것이 좋아.

왜냐하면

공을 멀리 던져서 아웃시키면

기분이 좋기 때문이야.

뭘까?

안에 무엇이 있을까?

치즈, 꿀, 초콜릿, 과일, 팥…

정답은 ‘차가운 아이스크림’

거북이

텅 빈 하늘에 거북이 한 마리

튤립

노랑 빨강 두 색이 모여

정원의 보석.

초록 나무

너를 볼 때마다

눈이 좋아져.

류 효 림

항상 옆에 있는 사람을 기
분 좋게 만들고, 웃게 만드는
너의 미래를 응원해요.
- 엄마가

잘 웃는 사람

왠지 모르게 웃음이 나와요.

단풍나무가 좋아요.

보면 볼수록 마음이 붉어져요.

고민을 들어주는 것을 좋아해요.

친구는 내가 고민을 가져간 듯 웃어요.

그러면 뭔가 뿌듯해요.

시간이 날 때마다 친구와 놀아요.

비가 뚜두둑뚜둑 떨어지는 날이 싫어요.

빗줄기가 떨어지면 마음이 무거워져요.

내 자리

같이 놀자, 갈매기들아.

내 자리도 만들어줄래?

강낭콩

물을 주고 매일 기다린다.

언제 만날까?

기다리던 어느 날

새싹이 쏙 나왔다!

호수

잔잔한 강물이

내 마음에 흘러와

내 마음도 잔잔해진다.

버드나무

힘이 없는 듯

나뭇잎들이 축 처져있는

버드나무

박 구 비

카메라 렌즈로 찍고
구비 동심 렌즈로 해석한
이 세상 하나뿐인 보물 같은
글의 출간을 축하합니다.
- 엄마가

작은 행복

나는 작고 사소한 곳에서

행복을 느껴요.

사람들은 아주 커다란

행복만 쫓아다녀요.

하지만 잘 보면

구석진 곳 어딘가

작지만 소중한 행복이

숨어있지요.

이 작은 행복을 하나하나

소중히 모으면

언제가 내 품 안에 커다란

행복이 가득해요.

변덕꾸러기 나무

가을이 되면 또 변할 거지?

칫, 변덕꾸러기 나무.

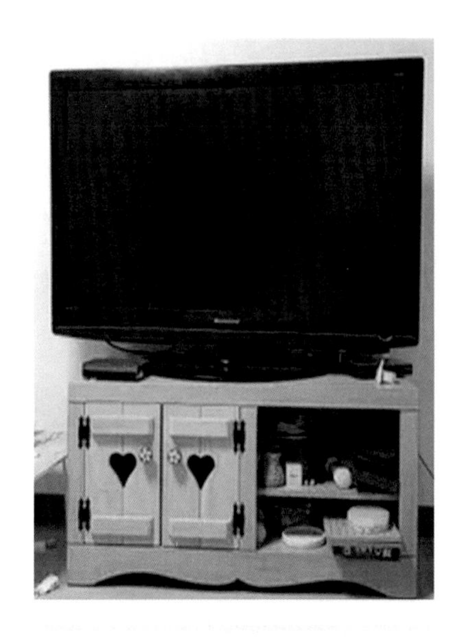

바보상자

바보상자야,

너도 바보니?

냄비

냄비가 화난 것 같다.

물을 넣으니 열 받아

부글부글 끓는다.

될 듯 말 듯

될 것 같다가도

안 되는 너.

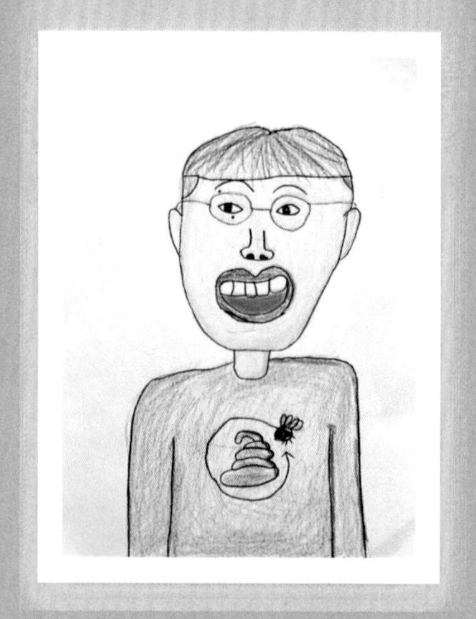

박 도 윤

항상 재밌게 하는 도윤이, 매일 즐겁게 해줘서 고마워. 늘 건강하고 사랑해.

- 엄마가

나의 웃음

시를 조금 재미있게 썼더니
친구들이 웃는다.

친구들이 무서워하길래 웃겨줬더니
무서움을 극복한다.

친구들이 기분이 안 좋아 보여 웃겨줬더니
조금 괜찮아진 것 같다.

웃긴 건 쓸데없진 않은 것 같다.

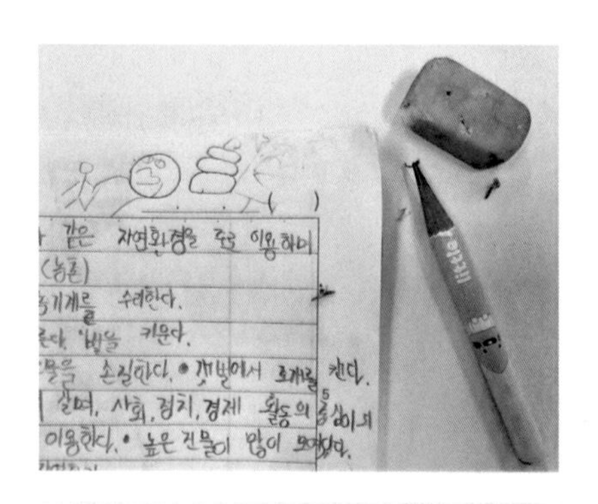

지우개

내 책에서 낙서를

항상 물리쳐 주는 지우개.

쓸모없는 에어컨

이번 여름에 켜져 있는 모습을
제대로 못 본 것 같다.

가방

입 큰 가방아,

힘들지 않니?

내 소중한 물건을 넣어줘서 고마워.

돼지 같은 지갑

맨날 내 돈을 먹어서 사는 지갑

그래도 말을 잘 듣는다.

뱉으라 하면 알아서 뱉네.

박 리 우

꿈은 실패했을 때 끝나는 것이 아니라 포기했을 때 끝나는 것이다. 너의 꿈을 언제나 응원할게.

- 엄마가

거울처럼

나는 거울입니다.

거울처럼 빛나고

나를 볼 수도 있고

나를 꾸밀 수도 있습니다.

나쁜 것은 반사할 수도 있습니다.

나는 거울입니다.

요리 수업

요리 시간은 재미있다.

다음 주가 늘 기대된다.

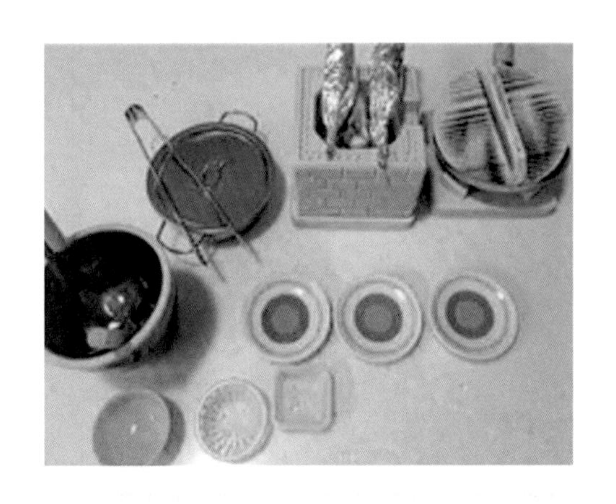

사진

시간이 지나면

잊어버린 기억을

떠올리게 해주는 사진

고양이 보리

집에서 언제나 같이 있는
우리 집 고양이 보리

나보다 나이 많은
할머니 고양이 보리

앞으로도 언제나
함께 하고픈 고양이 보리

사슴벌레

징그러운 사슴벌레

보고 싶지 않은데

계속 내 눈에 띈디.

알까지 낳았는데…….

박 안 젤 리 나

따뜻한 말을 건네는 안젤리나
의 친절한 마음씨가 너무 예
쁘네. 앞으로도 그 예쁜 마
음 잘 간직하렴. - 엄마가

나의 호기심

우리 집 둘째는 생각하는 것을 좋아해요.
왜 꿈을 꾸는지
왜 벌레가 있는지
왜 주인공이 있는지
왜 영화에선 항상 누구를 도와주는지

둘째는 무엇이든지 해 보는 것을 좋아해요.
서로 같은 극의 자석을 일부러 붙여 보기도 하고
우산을 만들어 보기도 하고
600쪽이나 되는 책을 읽어 보기도 하고

둘째는 피아노 선생님이 되고 싶대요.
화가도 되고 싶고 제빵사도 되고 싶고…….
둘째는 꿈이 많아요.

이게 바로 나예요.

꽃의 머리 스타일

우와, 어디 미용실 다녀왔어?

구름

구름아,

너희들도 야구 경기 보고 싶니?

잠자리

벽에 붙어있는 잠자리.

내가 사진만 찍고 빨리 비켜줄게.

횡단보도

고마워.

내가 안전하게

길을 건널 수 있게 해줘서.

열매

괜찮아? 안 다쳤어?

주황색 물고기

아, 알겠다!

너는

영화 '니모를 찾아서'에 나오는 니모구나.

백 주 환

주환이의 꿈과 노력이 담긴 글과 사진들을 보니, 흐뭇한 미소가 절로 나오네. 소중한 추억이 가득했던 4학년 생활 덕분에 주환이의 몸과 마음이 많이 자라남을 느꼈어! 주환아, 감사해.

- 엄마가

나의 꿈, 야구

나의 꿈은 야구선수예요.

야구선수가 되기 위해

노력하는 두 가지가 있어요.

첫째, 집에서 스윙 연습하기

둘째, 학원에서 집중해서 야구 배우기

이렇게 두 가지를 지킨다면

언젠가는 실력이 쑥쑥 늘겠지요.

나노 블럭 세상

2천개 3천개의 작은 블록이 모여
하나의 커다란 내 작품이 되고
또 다른 내 친구가 돼.

만나서 반가워 친구들!

국립중앙박물관

반만년의 우리 역사를

간직하고 있는

소중한 곳

노력

노력이 담긴

나의 소중한 작품

무엇이든 노력하면

성과를 이룰 수 있어.

QR코드

조그마한 네모들이 모여서

하나의 링크가 되는

신기한 마법 상자.

변신

얼음은 물로 변하고

물은 수증기로 변하고

물을 얼음으로도 변하고

마치 여우가 재주넘는 것 같아.

또 다른 별

보름달과 또 다른 별이

아름답게 빛나네.

양 지 훈

양지훈 작가의 글에는 특유의
따뜻하고 섬세한 시선이 있습니
다. 그래서 글을 읽는 이의 마음
마저 따뜻해집니다. 나무가 되고,
숲이 될 지훈 작가의 꿈과 그
여정을 응원합니다♡ - 엄마가

꿈을 기르는 사람

누구나 꿈은 작은 씨앗부터 시작돼요.
그 작은 씨앗이 노력, 응원을 먹고 자라요.

모두 그래요.
지금은 작은 씨앗이지만
노력, 응원을 먹고 새싹이 되고,
작은 나무가 되고,
아주 큰 꿈나무가 돼요.

뭐든 마찬가지예요.
자전거 타기도 노력하고 응원을 받으면
탈 수 있잖아요.
빵도 노력을 부으면 케이크가 될 수 있어요.

나는 그런 사람이 되고 싶어요.

구름 비행기

수증기 손님 태우고 더 태워서

땅으로 착륙한다.

침범하지 마!

스테비아 밑에 자란 식물 뭘까?

스테비아가 말한다.

"앗, 침범하지 마!"

치즈

고양이, 치즈.

자는 모습도 귀여운 치즈.

이제 깨어 놀 거지?

대기 중

이제 곧

빨간 옷으로 갈아입는다.

반딧불이

아주 작은 가로등 셋이 날아간다.

화

가스레인지가 화를 낸다.

오 채 연

채연이가 주변에 있는 물건이나
일어나는 일들을 보고 어떤 생각
을 하고 있는지 알 수 있는 소
중한 시간이었어^^ 앞으로도
다양한 생각들을 펼칠 수 있도
록 해보자♥ - 엄마가

그림

알록달록 색연필로

하얀 종이에 쓰-윽.

하얀 종이에

물감으로 촤-압.

말하기 힘들 때

부끄러울 때도

도와주는 고마운 그림.

소원 팔찌

네가 소원을 들어주는 팔찌니?

그럼, 우리 가족 소원을 들어줄래?

고양이의 팔

하루 종일 움직이는 고양이의 팔.

팔이 빠질 것 같은데 괜찮니?

내가 안 아프게 햇빛을 가려 줄까?

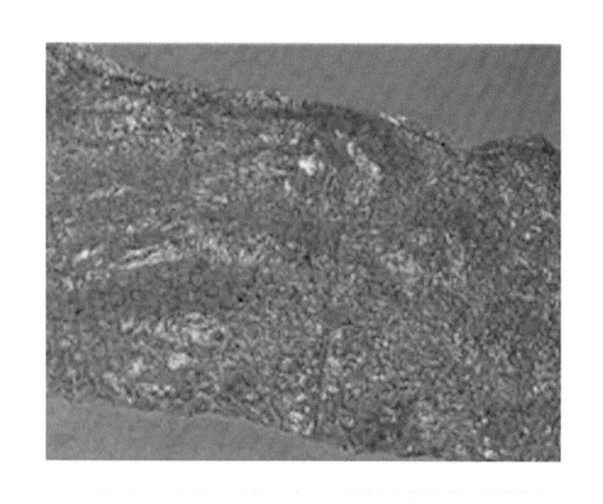

뽁뽁이

항상 남을 지키는 일만 하는 뽁뽁이.

넌 안 아프니?

오케스트라

내방에서만 울리는

나 홀로 오케스트라

이 루 안

우리 루안이 마음과 눈에 담긴 것처럼, 아름답고 재치 있는 세상이 기다리고 있기를 바란다♡

- 엄마가

많이 많이

난 많이 해요.

공부도 끝없이 파고들고요.

난 더 많이 해요.

커서 중요한 일을 맡을 거니까.

난 더 더 많이 준비할 거예요.

내 미래를 위해서

학

명색이 새인데

자꾸 떨어지네.

호떡

그냥 두면 보름달이고

반 정도 먹으니 반달

기다려 보니 달이 없어졌다.

알 수 없는 화가

조금만 더 가면 바다인데

물빛이 청록색이네.

누가 물감이라도 탄 걸까?

나만 행복

산책이 그렇게 좋은가?

자기만 행복하네.

이 승 민

우리 아들 너무 자랑스럽다.
- 엄마가

슈크림

나는 슈크림이에요.

친구들과 함께 노력할 거예요.

반죽이나 붕어빵 틀이 없으면

슈크림은 그저 평범해져요.

실패해도 노력할 거예요.

친구들의 도움을 받고

붕어빵이 된 슈크림처럼.

거대한 독수리

푸른 바다에 흰 독수리가 날고 있네.

밤하늘

아침에는 푸르다가

밤이 오면

어둡게 칠한 도화지로 변한다.

소나무

계속해서 자라는 소나무

이러다

하늘까지 가겠다.

고양이

밤이 되면

스르륵 나와

놀이터에서 노는 고양이.

정 규 영

규영아, 평범한 일상을 새로운
시각으로 보니 너무 기발하고
인상적이네. 너무 멋진 거 같아.
– 엄마가

촛불

나는 촛불이에요.

언제나 빛나지요.

나를 위해 불꽃을 피워요.

친구를 위해 불꽃을 피우기도 해요.

나를 위해 불꽃을 피우면

내가 주인공이 되고

친구를 위해 불꽃을 피우면

친구가 주인공이 돼요.

촛불도 마음도 모두 빛나고 아름다워요.

아름다운 탑

옛날에 지어진 탑

언제 봐도 너무 멋지다!

어떡하지

뭐가 들어 있는지 궁금해서 열었는데

엄마의 등짝 스매싱을 맞겠다.

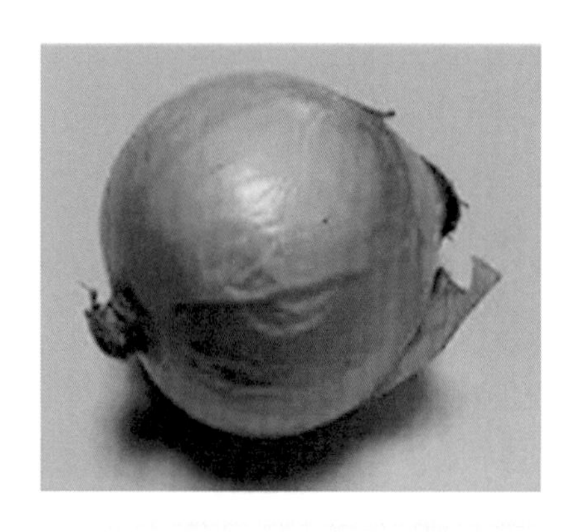

양파

난 왜 널 볼 때마다

눈물이 나냐?

꿀밤 알밤

몰래 먹을 때는 꿀밤

들켰을 때는 알밤

대단한 분

모두가 아는 세종대왕

얼마나 대단했으면

동상까지 세워졌을까?

믿는다

7시에 깨워줘.

시계야, 믿는다.

정 예 원

처음엔 과제로 시작했지만, 점
점 더 모든 걸 바라보는 너의 진
심 어린 눈빛과 맘이 느껴져~
예원아, 너무너무 잘했어~♥
- 엄마가

좋아하는 게 너무 많아요

학교에 가는 것도
아침을 먹는 것도
친구들이랑 노는 것도
술래잡기하는 것도
난 다 좋아요.

맨날맨날 나는 내가 좋아하는 것을 찾아요.
싫어하는 것을 좋아하는 것으로 바꾸기도 하고
가끔은 좋아하는 것이 싫어지기도 해요.
하지만 난 그것조차 좋아요.

피아노 건반

햇빛이 피아노를 만들어 주었다.

소리가 나지 않지만 괜찮다.

마음속으로 연주하면 되니까.

퍼즐

뚜껑 열자마자

바로 닫는다.

빨간 마법사

동그라미 치면 기분이 좋아지고

선 그으면 기분이 나빠지는

빨간 마법사

낙엽

투둑투둑 떨어진다.

이쪽저쪽

예

쁜

비

학교 가는 길

학교 가는 길 걷지 말고

저 위 구름길 걷고 싶다.

시장

작은 불빛들이 모여 이룬

고마운 장소.

정 은 혜

우리 딸의 건강한 마음이 글에
담겨있어서 시가 다 좋아!
사랑스런 우리 공주 은혜! 할
머니가 많이 사랑한다.
정은혜 파이팅! 시 잘 썼네.
- 엄마, 할머니, 오빠가

나는 '정은혜'예요

나는 행복한 사람이에요.
가족에게 사랑받고
친구에게도 사랑을 받아요.
때로는 내가 사랑을 주기도 해요.

나는 이 세상에 단 한 명이에요.
세상에 나와 똑같은 사람은 없어요.
나는 단 한 명이에요.

나는 누구와도 잘 어울려요.
남자애들 여자애들 상관없이
나는 누구와도 잘 어울리요.

방울토마토

저번 달에 태어난

방울토마토

언제 다 클까?

이사 온 물고기

물고기가 우리 집으로 이사 왔더니

둘러보느라 바쁘네.

도시락

도시락 안에서 무엇을 하고 있을까?

아! 밥이랑 나물 친구 되고 있네.

빵

더운 날 줄 서서 산 빵

먹으니 입 안에서

놀이동산 펼쳐지네.

정 희 찬

깜짝 놀랄 만큼 잘 썼구나. 창의력 칭찬! 칭찬!

- 아빠가

나

게임을 좋아하는 나

재밌는 책만 골라 읽는 나

장난꾸러기인 나

뛰어다니는 걸 좋아하는 나

만들기를 잘하는 나

뜀틀을 잘 넘는 나

다 똑같은 나

휴일

기다려, 가지마.

난 조금 더 쉬고 싶어.

생존왕

안 죽고 잘 살아 있구나, 칼코에야.

우리 오랫동안 보자.

UFO

깜깜한 밤하늘에

UFO가 떠 있다.

가까이 가보자.

어라? 전등이었네!

내 친구

친구야, 어디 있니?

아, 밥 먹고 있구나.

밥 다 먹었지?

이제 달려보자.

최 은 우

디카시를 지으면서 열정적으로 생각하고 고민해 보는 모습이 대견해요. 주변을 관찰하고 다르게 생각해 볼 수 있는 멋진 활동인 거 같아요.

- 엄마가

호기심이 많은 나

나는 세 남매 중 첫째예요.

나는 궁금한 게 많아요.

나는 무엇이든 물어보아요.

나는 항상 '왜'라는 질문을 던져보아요.

나는 무언가를 알면 기뻐요.

나는 호기심이 많아요.

코코넛잼

베트남에서 비행기 타고 왔다.

하얀 만큼 먹으면 내 속도 하얘진다.

도마뱀이 좋아하는 색

도마뱀은

초록색이랑 갈색을 좋아할 거야.

왜냐하면

도마뱀은 자연을 좋아할 거니깐.

유성 매직

유성아,

물과 친하게 지내.

조금 다른 녀석

달라도 괜찮아.

그것도 너의 개성이야.

홍 수 정

수정아, 디카시를 너무 잘 지어서 읽으면서 놀랐단다. 그림 그리고 칭찬해 주는 말을 들으니 더 좋았구나. 앞으로도 멋진 글 보여줘. 항상 화이팅!

- 엄마가

미술이 좋아

나는
그리는 것도 만드는 것도
모두 모두 좋아.

“잘 그렸다.”
“잘 만들었다.”
말을 들을수록
그리는 것과 만드는 것이
점점 더 좋아져.

천장

천장을 바라보니

나도 모르게 스르륵 잠이 온다.

부끄럼쟁이

낮에는 숨어 있다가

어두어지니 이제야 안심한 듯

밝게 빛나는 달

하늘의 꽃

하늘에 있는 구름은

하늘의 꽃 같아.

색칠

하늘에 색칠이라도 한 것 같은 구름이네.

에필로그

4학년이 되면서 처음으로 디카시에 대해 알았습니다. 처음에는 별 관심이 없었지만 책이 만들어진다는 소식을 듣고 적극적으로 참여해 보기로 하였습니다. 처음 시는 조금 엉성했지만, 점점 좋아졌습니다. 알고 보니 우리 주변에는 아름다운 것이 참 많다고 느꼈습니다. 디카시는 우리 생활에 아름다움을 알려주는 일이 되었습니다. 사물을 보고 생각과 창의력이 자라나는 것 같아서 좋았습니다. 나름의 재능이 필요한 것을 해낸 나 자신이 뿌듯했습니다. 4학년의 추억으로 오래 남을 것 같은 신기하고 재미있는 일이었습니다.

- 김하음

디카시 짓기를 하면서 다사다난한 사고가 잦았지만 이렇게 잘 마무리하게 되어 무척 기쁩니다. 지금 이 글을 쓰는 순간에도 내가 작가라는 것이 실감이 안 나고 또 친구들과 책을 낸다는 사실 또한 꿈만 같습니다. 하지만 큰 노력이 들어간 만큼 독자 여러분께 좋은 시간이 되시길 바라고 제목처럼 이번 기회에 4학년의 마음을 들여다보는 멋진 시간이 되시길 바랍니다.

- 박구비

「4학년 마음카메라」 책을 만드는 과정에서 많은 것을 느꼈습니다. 디카시의 '디'자도 모르는 나는 처음에는 막막했지만, 막상 해보니 사진을 찍는 것도 재미있었고 점차 디카시에 흥미를 느끼게 되었습니다. 친구들의 디카시를 보면서 나의 디카시 쓰기 실력이 더 자라는 듯했습니다. 책을 낸다는 것은 생각보다 시간이 꽤 오래 걸렸습니다. 디카시에 오타는 없는지, 잘못된 사진은 없는지, 많은 과정을 거쳐 책이 만들어졌습니다. 평소 보던 도서관의 책처럼 책을 만들 수 있다는 게 너무 신기했습니다. 선생님께서도 정말 많은 수고를 하셔서 너무 감사합니다. 물론 우리 반 중에 그 누구도 노력을 안 한 사람은 없습니다. 나에겐 정말 행복한 경험이었습니다.

- 정예원

4학년이 되면서 디카시라는 것을 새롭게 알았습니다. 기존 시와 다른 점은 사진이 있다는 것입니다. 그래서 색다른 경험을 할 수 있었습니다. 친구들과 함께 책을 만드니 부담 없이 재미있게 할 수 있었고, 덕분에 사진 찍기와 시 짓기 실력이 좀 자란 것 같아서 자랑스러웠습니다. 책을 출판하려고 하니 몇 개 더 시를 지어볼 걸 하고 후회되기도 하지만 디카시라는 추억을 만들 수 있어서 좋은 경험이었습니다.

- 김성현

디카시집을 만드는 여정 동안 성장하는 모습을 보여준 43마음나눔반 친구들, 사랑합니다.

관심과 응원을 아낌없이 보내주신 학부모님, 감사합니다.

2023. 겨울에　마음나눔 선생님